Les poumons et la respiration

Brian R. Ward – Louis Morzac

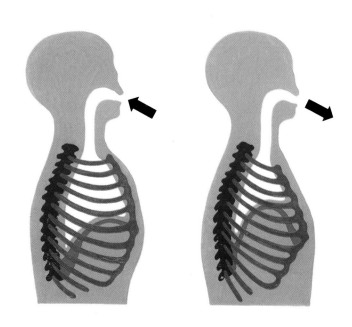

ÉDITIONS GAMMA
LES ÉDITIONS ÉCOLE ACTIVE

Les mots en caractères gras sont repris dans le glossaire.

L'édition originale de cet ouvrage
a paru sous le titre: *The Lungs and Breathing*
Copyright © Franklin Watts, 1988
96, Leonard Street, London EC2A 4RH
All rights reserved

Adaptation française de Louis Morzac
Copyright © Éditions Gamma, Tournai, 1990
D/1990/0195/77
ISBN 2-7130-1131-0
(édition originale: ISBN 086313 706 7)

Exclusivité au Canada:
Les Éditions École Active,
2244, rue Rouen, Montréal H2K 1L5
Dépôts légaux, 4e trimestre 1990
Bibliothèque nationale du Québec
Bibliothèque nationale du Canada
ISBN 2-89069-273-6

Imprimé en Belgique

Origine des photographies: Christian Bonnington 45. Health Education
Authority 33; Science Photo Library 24. Science Photo Library:
CNRI 7, 11, 27; Martin Dohrn 1, 23; Dr George Gornacz 43;
Eric Grave 20; Harvey Pincis 35; Dr Gary Settles 29;
James Stevenson 31. Zefa Picture Library 13, 19, 30, 39, 40.

Sommaire

Introduction

Toutes les **cellules** du corps ont besoin d'**oxygène** pour vivre, se développer et produire l'énergie nécessaire aux activités corporelles. Ce gaz incolore est présent dans l'air que nous respirons. Le rôle des poumons est d'extraire l'oxygène de l'air, de le transférer dans le sang qui le portera aux cellules du corps.

Les cellules vivantes fabriquent du bioxyde de carbone, un autre gaz incolore. Le sang transporte ce déchet jusqu'aux poumons qui l'en débarrassent avant qu'il n'atteigne une concentration dangereuse.

Le passage de l'air allant vers les poumons ou en venant remplit d'autres fonctions importantes. L'air qui traverse le nez permet l'exercice du sens de l'odorat et participe à celui du goût.

Le flux d'air qui traverse la gorge permet l'émission de sons et par conséquent la parole.

La respiration a encore pour autres fonctions la régulation de la quantité d'eau du système sanguin et une contribution à l'équilibre thermique du corps.

L'ensemble de l'appareil respiratoire est l'un des principaux systèmes indispensables à la vie du corps. Sa structure consiste en une paire de poumons spongieux, logés dans le thorax et pourvus d'un réseau dendritique de conduits aérifères, reliés à la bouche et au nez. Les poumons sont largement irrigués de sang : près de la moitié de la production cardiaque est pompée vers les poumons pour s'y charger d'oxygène avant d'être envoyée dans le reste du corps. Le cœur et les poumons sont protégés par la cage thoracique.

▷ Le système respiratoire est constitué des poumons et de voies aérifères. En conjonction avec le système circulatoire, il est chargé de fournir de l'oxygène à toutes les parties du corps dont c'est l'un des mécanismes les plus importants. Les principaux organes respiratoires sont situés dans la cage thoracique qui les protège.

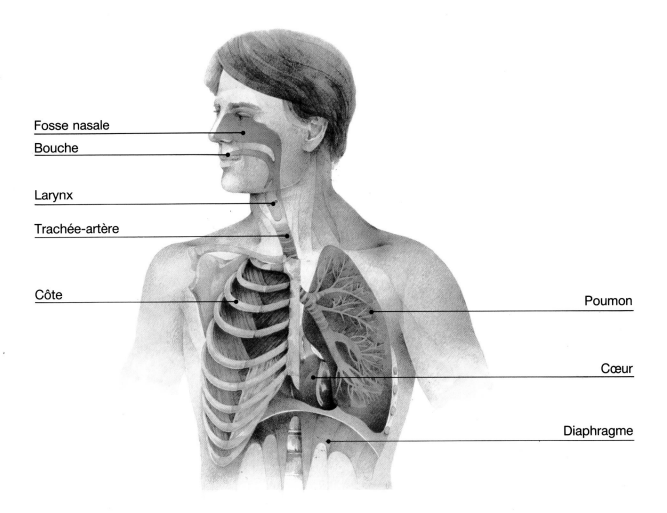

Fosse nasale

Bouche

Larynx

Trachée-artère

Côte

Poumon

Cœur

Diaphragme

L'air que nous respirons

- Un nouveau-né inspire et expire environ 40 fois à la minute.
- Un adulte à peu près 14 fois.
- Un adulte inspire normalement 7 litres d'air environ par minute. En cas d'exercice, il peut aller jusqu'à 100 litres/minute.
- L'adulte inspire quotidiennement environ 15 m^3 d'air. Au cours de sa vie, il en aura inspiré à peu près 400 000 m^3 – assez pour remplir un pétrolier de bonne taille.
- L'air que nous inspirons comprend plusieurs gaz: 20% d'oxygène, 0,04% de bioxyde de carbone, 70% d'azote, 1% d'argon et de faibles proportions d'autres gaz.
- Dans le corps, l'oxygène est utilisé par les cellules pour produire de l'énergie. Simultanément, l'organisme fabrique du dioxyde de carbone qui est évacué du corps par les poumons.
- L'air que nous expirons ne contient plus que 16% d'oxygène, mais 4% de bioxyde de carbone.
- Les quantités d'azote et d'argon que nous inspirons et expirons demeurent stables.

Les poumons

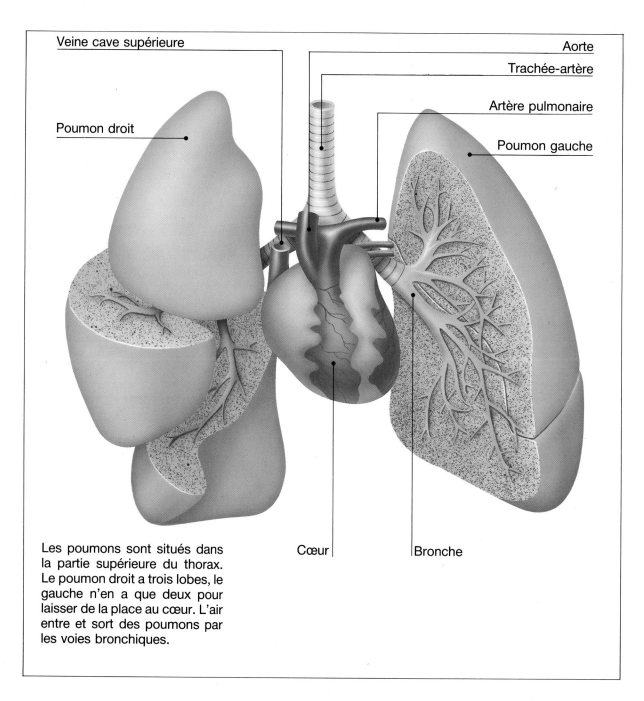

Veine cave supérieure

Aorte

Trachée-artère

Artère pulmonaire

Poumon droit

Poumon gauche

Cœur

Bronche

Les poumons sont situés dans la partie supérieure du thorax. Le poumon droit a trois lobes, le gauche n'en a que deux pour laisser de la place au cœur. L'air entre et sort des poumons par les voies bronchiques.

Nos deux poumons sont logés dans la cage thoracique. Leurs tailles et leurs formes diffèrent légèrement. Le poumon droit, constitué de trois lobes, est plus grand que le poumon gauche qui n'en compte que deux. Les poumons d'un adulte pèsent environ 1 kg.

Les poumons eux-mêmes et les parois internes de la cavité thoracique sont recouverts d'une membrane séreuse et fine, appelée la **plèvre**, qui permet sans dommage un léger glissement des poumons au cours de la respiration. Le cœur s'insère entre les poumons, légèrement à gauche du centre de la cavité thoracique. Comme il touche les poumons au cours de son action de pompage, il est aussi lubrifié par la plèvre.

Les poumons sont rose pâle chez le nouveau-né, mais ils foncent au fil des ans à cause des impuretés mêlées à l'air que nous inspirons et dont une partie seulement sera évacuée par des mécanismes naturels de nettoyage. Dans les endroits fortement pollués, comme les villes et les régions industrielles, les impuretés de l'air peuvent causer des problèmes pulmonaires, mais fumer en est la cause principale.

Avant l'existence d'une réglementation stricte en matière de protection de la santé sur les lieux du travail, les poumons de mineurs et d'ouvriers carriers pouvaient devenir durs et ressembler à la pierre après avoir inhalé de la poussière durant toute une vie.

Ce n'est que chez les Inuit, qui vivent dans un environnement sans poussières, que les poumons demeurent roses toute la vie.

Les poumons sont parmi les derniers organes à se développer convenablement chez le fœtus. L'enfant qui naît prématurément, avant le développement complet de ses poumons, peut avoir des problèmes respiratoires dont la probabilité est plus grande si la mère a fumé pendant la grossesse.

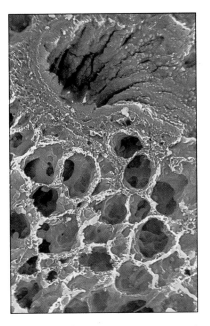

△ Cette micrographie en couleurs montre la texture spongieuse du poumon humain. On voit au sommet de l'image une bronchiole, l'une des voies aérifères les plus étroites dans les poumons. Les petits cercles sont des **alvéoles** – petits sacs hémisphériques – en contact avec les capillaires sanguins. Les zones en jaune sont les tissus qui relient les alvéoles.

Le nez et la bouche

Nous respirons généralement par le nez, mais il peut être utile de respirer par la bouche quand nous avons besoin d'un supplément d'oxygène.

L'air pénètre normalement dans les fosses nasales par les narines. Les parois latérales des fosses nasales portent chacune trois saillies osseuses horizontales dirigées d'avant en arrière : les **cornets**. Chacun de ceux-ci surmonte un espace canaliforme, appelé méat, dans lequel débouchent qui les sinus, qui les glandes lacrymales. L'ensemble de la cavité nasale est recouvert d'une **muqueuse** et est pourvu d'un vaste réseau de capillaires sanguins. La cavité nasale sert de filtre grossier à l'air inhalé parce que les grosses particules qu'il transporte se collent à la muqueuse. Elle sert aussi à réchauffer l'air et est le siège de l'odorat.

L'inflammation des **sinus** s'appelle **sinusite**.

L'air quitte les fosses nasales pour passer par le **pharynx** – ou gorge – avant d'atteindre les poumons. Le bord postérieur du **voile du palais** se termine par une saillie charnue et allongée, la **luette** – ou uvule – qui contribue à la fermeture du pharynx nasal lors de la déglutition.

Les lèvres et la langue n'ont d'autre fonction directe dans la respiration que d'aider la luette à remplir son rôle. Lorsqu'on respire la bouche ouverte en dormant, la colonne d'air aspiré se partage entre la bouche et le nez, frappe le bord libre du voile du palais, le fait vibrer et l'air vibre à son tour, ce qui provoque un ronflement.

▷ Le nez, la bouche et le larynx ont plusieurs fonctions : participer à la respiration, réchauffer l'air inhalé, nettoyer les voies aérifères, participer à la mastication, la déglutition, la parole, à la perception du goût et des odeurs.

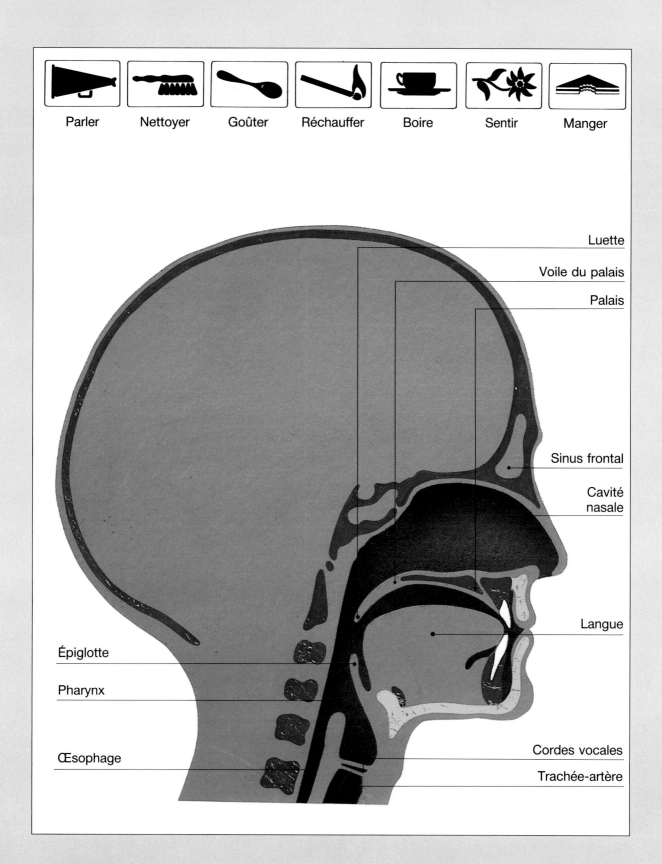

Parler Nettoyer Goûter Réchauffer Boire Sentir Manger

Luette

Voile du palais

Palais

Sinus frontal

Cavité nasale

Langue

Épiglotte

Pharynx

Œsophage

Cordes vocales

Trachée-artère

9

L'arbre bronchique

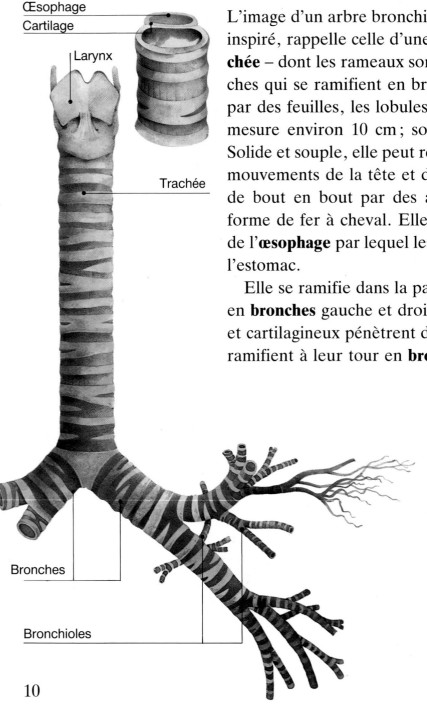

Œsophage

Cartilage

Larynx

Trachée

Bronches

Bronchioles

L'image d'un arbre bronchique, par lequel passe l'air inspiré, rappelle celle d'une branche d'arbre – la **trachée** – dont les rameaux sont constitués par les bronches qui se ramifient en bronchioles et se terminent par des feuilles, les lobules bronchiques. La trachée mesure environ 10 cm ; son diamètre est d'1,5 cm. Solide et souple, elle peut rester ouverte au cours des mouvements de la tête et du cou. Elle est renforcée de bout en bout par des anneaux **cartilagineux** en forme de fer à cheval. Elle est étroitement solidaire de l'**œsophage** par lequel les aliments cheminent vers l'estomac.

Elle se ramifie dans la partie supérieure du thorax en **bronches** gauche et droite. Ces deux tubes courts et cartilagineux pénètrent dans les poumons où ils se ramifient à leur tour en **bronchioles**.

◁ Les voies aérifères conduisant aux poumons ont une structure dendritique. Le sommet de l'arbre bronchique est la trachée faite d'anneaux cartilagineux en forme de fer à cheval qui lui assurent rigidité et souplesse. L'œsophage descend derrière elle. Aux extrémités de l'arbre bronchique, de minuscules bronchioles se divisent en segments tubuleux qui apportent l'air à toutes les parties des poumons.

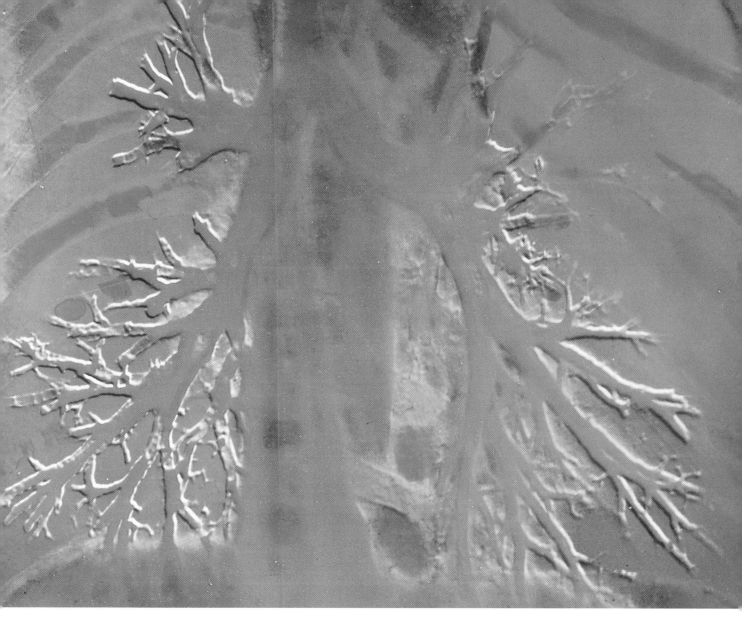

Les bronchioles les plus fines ont un diamètre d'environ 1 mm. Contrairement aux voies aérifères plus larges, elles ne sont pas cartilagineuses, mais sont enveloppées de fibres musculaires contractiles qui peuvent les rétrécir et diminuer le flux d'air. L'ensemble de l'arbre bronchique, constitué de la trachée, des bronches et des bronchioles, est recouvert d'une muqueuse. La membrane qui recouvre les voies aérifères les plus grandes contient des cellules caliciformes dont la sécrétion – appelée **mucus** – assure la lubrification, et des **cils vibratiles** qui contribuent au nettoyage de ces organes.

△ Cette radiographie en couleurs montre nettement la structure dendritique des voies aériennes menant aux poumons, appelée arbre bronchique. Les poumons apparaissent en bleu, les côtes en vert, la trachée, les bronches et les bronchioles en rouge.

Le diaphragme

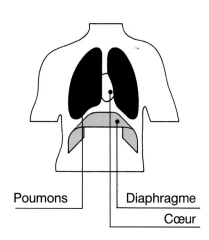

Poumons | Diaphragme
Cœur

△ Le diaphragme est une feuille musculaire située au bas de la cage thoracique. Relaxé, il a la forme d'une coupole, mais contracté, il s'aplatit.

Les poumons remplissent la cage thoracique. Les côtes protègent le cœur et les poumons, leur évitent d'être endommagés et jouent un rôle important dans les inspirations profondes.

Le thorax est séparé de l'abdomen par le diaphragme, un muscle aplati et mince affectant la forme d'une coupole, fait de couches musculaires entrecroisées, qui surmonte le foie et l'estomac. De gros vaisseaux sanguins tels que l'**aorte** et la veine cave, ainsi que l'œsophage traversent le diaphragme.

À la face antérieure du corps, le diaphragme suit la ligne incurvée du bas de la cage thoracique. De solides **ligaments** l'empêchent de se distendre quand ses fibres musculaires sont relaxées.

Le diaphragme est un muscle inspirateur. En se contractant, il s'aplatit, descend dans la poitrine et permet ainsi aux poumons de se gonfler en se remplissant d'air. Ce mouvement est la base d'une respiration normale et tranquille.

Les nerfs qui innervent le diaphragme et d'autres organes de l'abdomen s'étendent tout juste sous les côtes. Si quelqu'un reçoit un coup violent dans l'abdomen, l'action de ces nerfs est temporairement affectée, le diaphragme se raidit ou est pris de spasmes. La victime a le «souffle coupé».

Contrôler sa respiration

On peut commander les mouvements du diaphragme et par conséquent la respiration. Les exercices respiratoires peuvent améliorer la santé et la forme et contribuer à la détente.

- **Chant et théâtre:** le contrôle de la respiration est donc fondamental dans ces deux disciplines. Il permet la production du son au volume désiré.
- **Se défatiguer:** le contrôle de la respiration purifie les poumons, augmente le volume d'oxygène inhalé, améliore la position et détend les muscles.
- **Les exercices:** les athlètes inspirent profondément avant de s'exercer, pour évacuer le gaz carbonique et stimuler la production d'énergie.
- **Le yoga:** les exercices respiratoires détendent l'esprit et le corps et contribuent à garder les positions du yoga.

△ Ce trompettiste de jazz de la Nouvelle-Orléans utilise son diaphragme pour contrôler sa respiration. Tous les chanteurs et les joueurs d'instruments à vent sont entraînés à utiliser leur diaphragme de cette façon.

13

Le thorax

La forme de la poitrine est déterminée par celle des 12 paires de côtes qui constituent la cage thoracique. Les côtes sont des os plats et incurvés, articulés de part et d'autre aux vertèbres à l'arrière et reliés au **sternum** par des articulations cartilagineuses. Le sternum est un os long et plat situé à l'avant du corps.

Les côtes inférieures ne sont pas reliées directement au sternum, mais entre elles par un seul cartilage costal fixé au sternum. Les deux paires de côtes les plus basses sont les fausses côtes ou côtes flottantes.

▷ La cage thoracique protège les organes du thorax. Toutes les côtes s'articulent de part et d'autre de l'épine dorsale. La plupart d'entre elles sont reliées au sternum par des joints cartilagineux.

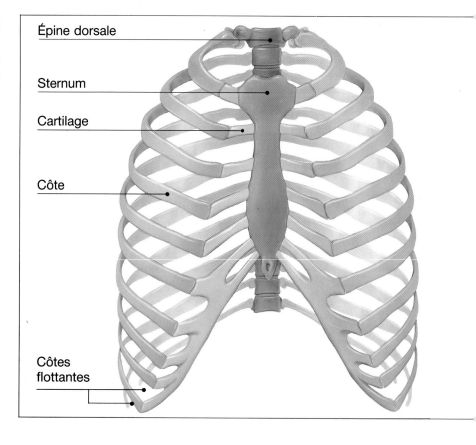

Épine dorsale

Sternum

Cartilage

Côte

Côtes flottantes

La cage thoracique est donc une structure extrêmement solide. Elle est aussi déformable. Contrairement à la plupart des autres os, les côtes sont souples et élastiques.

Toutes les côtes s'articulent en arrière à l'épine dorsale et la plupart d'entre elles sont reliées en avant au sternum ou entre elles par un seul cartilage attaché au sternum de façon à ce qu'elles puissent se mouvoir ensemble quand le sternum se soulève et s'ouvre.

Des muscles intercostaux reliant les côtes entre elles rapprochent celles-ci en se contractant, ce qui a pour effet de soulever la cage thoracique et d'accroître son volume. Quand ces muscles se relaxent, la cage thoracique s'affaisse et retrouve sa position et son volume normaux.

▽ Les muscles intercostaux peuvent se contracter, ce qui a pour effet de soulever la cage thoracique et d'augmenter son volume et par là même de donner aux poumons un espace de dilatation plus vaste. Quand ces muscles se relaxent, la cage thoracique reprend sa forme normale.

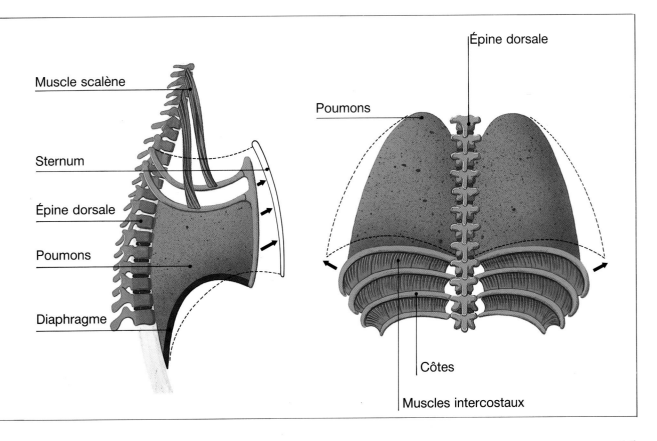

Muscle scalène

Sternum

Épine dorsale

Poumons

Diaphragme

Épine dorsale

Poumons

Côtes

Muscles intercostaux

Mécanisme respiratoire

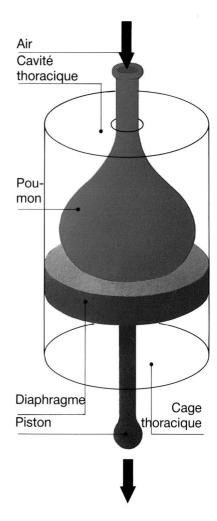

Air
Cavité thoracique

Pou-mon

Diaphragme
Piston

Cage thoracique

△ Les poumons fonctionnent comme une pompe à air dont le piston serait le diaphragme et le corps la cage thoracique. La descente du diaphragme crée un vide dans lequel s'engouffre l'air.

Une respiration calme et régulière est l'œuvre du diaphragme qui, en se contractant, s'aplatit et augmente le volume de la cage thoracique. L'air s'engouffre dans les poumons pour remplir l'espace ainsi créé. Quand la respiration est calme, le diaphragme ne s'abaisse que d'environ 1,5 cm, mais, au cours d'une inspiration profonde, ce déplacement atteint 7,5 cm.

C'est la pression de l'air environnant qui détermine l'admission d'air dans les poumons quand le volume de la cage thoracique augmente.

Quand le diaphragme se relaxe et reprend sa forme voûtée, les poumons sont légèrement comprimés et l'air en est expulsé. Nos poumons ne se vident jamais complètement. Même après une expiration aussi complète que possible ils contiennent encore environ 1,5 litre d'air.

Ces contractions régulières et tranquilles du diaphragme correspondent à la respiration habituelle. On devine à peine que le thorax se soulève et retombe. Cependant, en se contractant, le diaphragme exerce une pression sur les organes de l'abdomen et on peut percevoir le léger mouvement de celui-ci.

Au cours d'exercices, les muscles requièrent un apport supplémentaire d'oxygène sanguin et l'action automatique du diaphragme ne suffit plus à provoquer une inspiration profonde. Les muscles intercostaux doivent alors se contracter pour rapprocher les côtes et soulever davantage la poitrine afin d'augmenter encore son volume.

16

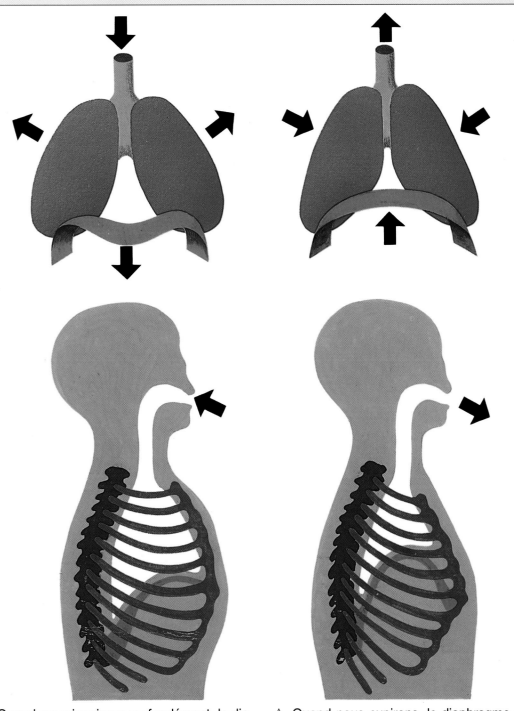

△ Quand nous inspirons profondément, le diaphragme s'aplatit et les muscles intercostaux soulèvent la cage thoracique. Le volume de celle-ci augmente et l'air s'engouffre dans les poumons.

△ Quand nous expirons, le diaphragme et les muscles intercostaux se relaxent et le volume de la cage thoracique diminue, ce qui expulse l'air des poumons par le nez ou par la bouche.

Comment respirons-nous?

La respiration est entièrement automatique. Elle se poursuit à travers la veille et le sommeil sans effort conscient de notre part. Nous pouvons modifier son rythme comme il arrive habituellement lorsque nous cessons d'y penser et nous pouvons consciemment respirer plus profondément.

Ce que nous sommes incapables de faire, c'est d'arrêter de respirer beaucoup plus d'une minute. Si nous retenons notre respiration assez longtemps, des mécanismes automatiques prennent le relais dans notre organisme et il devient impossible d'éviter une inspiration profonde.

▽ Le rythme respiratoire est commandé par un mécanisme extrêmement complexe. Le cerveau surveille les messages qu'il reçoit quant aux besoins de l'organisme en oxygène et la présence de gaz carbonique. Il ordonne ensuite au système respiratoire de procéder aux adaptations nécessaires.

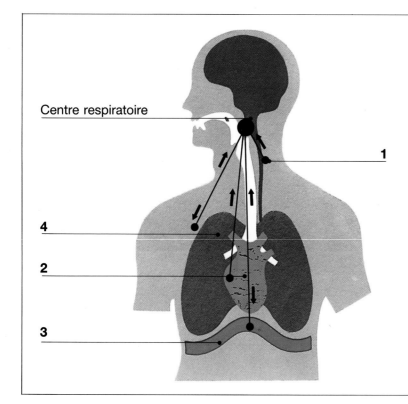

Centre respiratoire

1

4

2

3

● Le centre respiratoire mesure le taux de gaz carbonique du sang et reçoit des informations des muscles intercostaux, du diaphragme et des mécanorécepteurs pulmonaires.

1. Le taux d'oxygène du sang est mesuré par les chémorécepteurs carotidiens.

2. Le taux de gaz carbonique dans le sang est mesuré dans les zones chémoréceptrices aortiques.

3. Les influx nerveux sont également transmis au diaphragme par les nerfs phréniques.

4. Et aux muscles intercostaux par les nerfs intercostaux.

Le **bulbe rachidien**, une partie du cerveau qui commande automatiquement toutes les fonctions de l'organisme, envoie par le cordon médullaire des influx nerveux au diaphragme et aux muscles intercostaux pour y provoquer des contractions régulières.

Le rythme et la profondeur de la respiration sont aussi commandés chimiquement. Au cours d'exercices, les muscles fabriquent une plus grande quantité de dioxyde de carbone dont le taux sanguin augmente. Le centre respiratoire, situé dans le tronc cérébral, détecte cette augmentation et accélère le rythme et la profondeur de la respiration pour évacuer par les poumons ce gaz indésirable.

Un chémorécepteur carotidien mesure le taux d'oxygène sanguin, transmet des informations au cerveau et celui-ci accélère le rythme de la respiration quand l'oxygène se fait trop rare.

△ La respiration est un mécanisme involontaire commandé par le cerveau. Durant le sommeil, l'organisme requiert moins d'oxygène. Le cerveau réduit la respiration qui ralentit et devient moins profonde qu'au cours de la veille.

19

L'oxygène dans les poumons

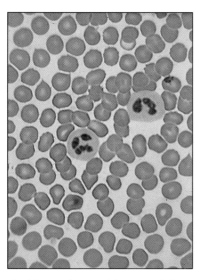

△ L'oxyhémoglobine – globules rouges oxygénées – parcourt le système sanguin et porte aux cellules l'oxygène dont elles ont besoin. On voit ici parmi des globules rouges, un globule blanc, élément important du système immunitaire.

Les bronchioles se terminent par des petits sacs hémisphériques ou alvéoles pulmonaires dont la réunion en groupes systématisés constitue le lobule pulmonaire. L'oxygène y est absorbé et le dioxyde de carbone libéré. Les poumons d'un adulte comptent plus de 300 millions d'alvéoles qui, ouvertes et mises à plat, occuperaient une superficie de 80 m^2.

Les fines parois des alvéoles de l'épaisseur d'une seule cellule sont en contact avec un réseau de **capillaires** sanguins. À chaque inspiration, les alvéoles se gonflent d'air riche en oxygène et pauvre en gaz carbonique. L'oxygène traverse facilement les membranes des alvéoles et des capillaires. Il se fixe sur des globules rouges sanguins où il se combine avec un pigment rouge appelé **hémoglobine** pour former de l'**oxyhémoglobine**. Les globules rouges ainsi oxygénés parcourent le circuit sanguin et portent aux cellules de l'organisme l'oxygène dont elles ont besoin.

L'oxyde de carbone peut aussi se combiner avec l'hémoglobine et empêcher celle-ci de se charger d'oxygène. Ce phénomène est à l'origine du manque de souffle qui rend plus pénible la vie de l'**asthmatique**.

Pour produire de l'énergie musculaire, l'organisme brûle de l'oxygène. Le dioxyde de carbone est un résidu de la combustion. Il se dissout dans le **plasma**, liquide clair porteur des globules rouges, puis, avec le sang, retourne aux alvéoles pulmonaires et est évacué par les poumons. L'air qui est évacué par les poumons est chargé de vapeur d'eau produite par certaines réactions chimiques dans l'organisme.

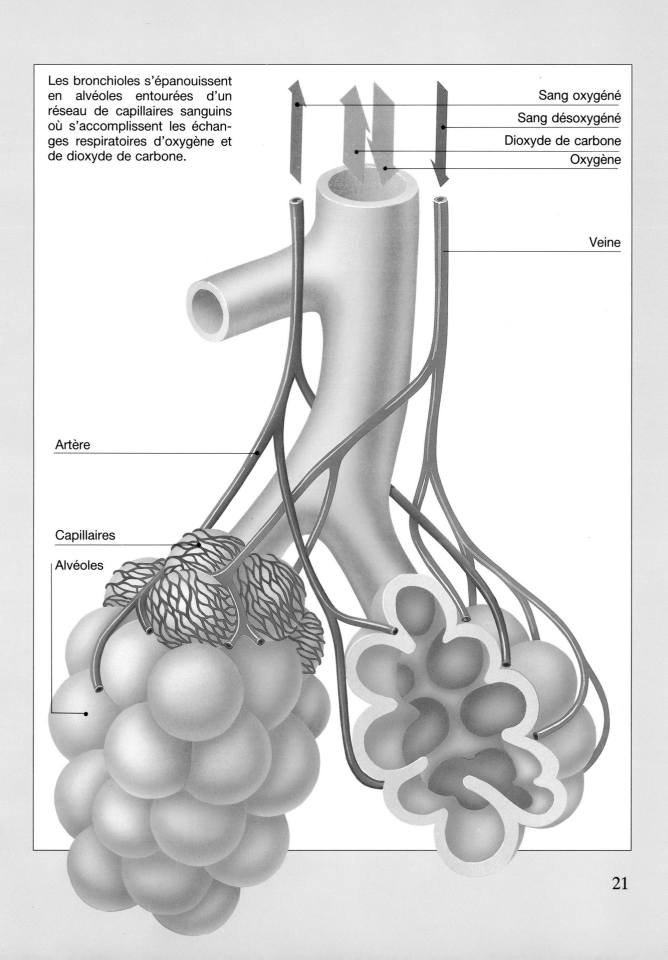

Les bronchioles s'épanouissent en alvéoles entourées d'un réseau de capillaires sanguins où s'accomplissent les échanges respiratoires d'oxygène et de dioxyde de carbone.

Sang oxygéné

Sang désoxygéné

Dioxyde de carbone

Oxygène

Veine

Artère

Capillaires

Alvéoles

21

Le sang et les poumons

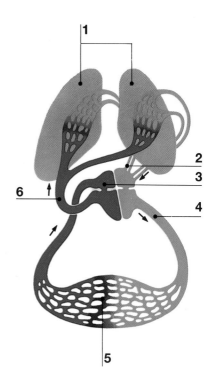

△ On voit ici un schéma de la circulation sanguine. Le cœur pompe et envoie le sang désoxygéné (en bleu) aux poumons où il se débarrasse du gaz carbonique et se charge d'oxygène. Le sang oxygéné (en rouge) est alors pompé et envoyé au reste du corps.

1. Poumons
2. Veines pulmonaires
3. Cœur
4. Aorte
5. Grande circulation
6. Artère pulmonaire

Le mélange de sang oxygéné et de sang chargé de dioxyde de carbone constituerait un gaspillage. Pour l'éviter, la circulation du sang passe par deux stades.

Le cœur lui-même est une double pompe dont chaque partie envoie du sang vers des endroits différents du corps. La partie gauche du cœur est la plus puissante. Elle envoie du sang oxygéné dans tout le corps à travers l'aorte et un vaste réseau d'artères et de capillaires.

En traversant les capillaires, le sang fournit aux cellules de l'oxygène qu'elles brûlent pour produire l'énergie nécessaire aux activités corporelles. La combustion de l'oxygène produit de l'eau et du dioxyde de carbone qui traversent les capillaires à leur tour, sont chargés par le sang et véhiculés dans les veines jusqu'à la partie droite du cœur.

La partie droite du cœur, plus petite, envoie le sang directement aux poumons par l'artère pulmonaire, puis par un réseau de capillaires où le sang est débarrassé de l'excès d'eau, du dioxyde de carbone et chargé d'oxygène. Le sang oxygéné retourne maintenant à la partie gauche du cœur et le cycle recommence.

Les sangs oxygéné et désoxygéné circulent donc dans des réseaux séparés. L'oxygène frais arrive continuellement au sang par les poumons au cours de l'inspiration, tandis que la vapeur d'eau et l'anhydride carbonique sont évacués et rejetés vers l'extérieur au cours de l'expiration.

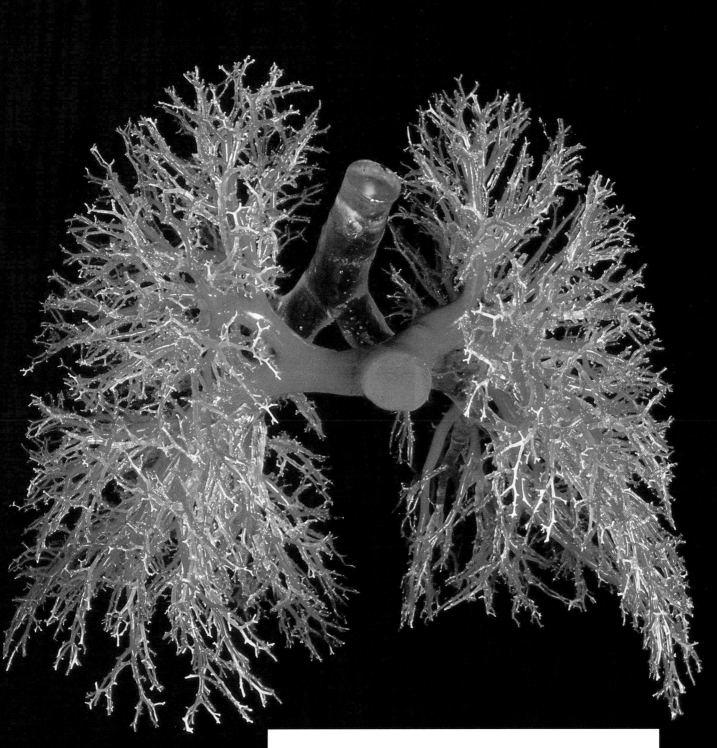

△ On voit ici les artères et les bronches qui transportent le sang et l'air aux poumons. À l'arrière (en jaune), la trachée qui se divise en deux branches, puis en bronchioles. Au centre, l'artère pulmonaire (en rouge) qui transporte le sang aux poumons où il est oxygéné.

Échanges gazeux

△ Cette femme utilise un spiro-mètre Wright pour mesurer sa capacité expiratoire. Ce test est utilisé pour vérifier l'efficacité de ses poumons et ainsi évaluer sa forme physique.

Le réseau capillaire, vecteur du sang oxygéné, irradie la totalité du corps à l'exception des cellules de certaines parties des yeux où la présence du sang empêcherait la vision. Ces cellules puisent directement dans les tissus avoisinants l'oxygène dont elles ont besoin.

Toutes les autres cellules sont ravitaillées en oxygène par l'oxyhémoglobine, un pigment d'un rouge vif qui est l'un des composants du sang.

Les capillaires sont toujours au voisinage immédiat des cellules vivantes. Ils s'épanouissent à travers les muscles, les nerfs et d'autres tissus en un entrelacs nourricier. L'oxygène est libéré par l'oxyhémoglobine et pénètre les cellules où il s'y combine chimiquement à d'autres éléments pour produire de l'énergie qui est utilisée ou mise en réserve pour une utilisation ultérieure. Cette réaction chimique donne naissance à des résidus sous forme d'eau et de dioxyde de carbone qui repassent dans le sang.

Rouge foncé maintenant, parce que ne contenant plus que de l'hémoglobine, chargé d'eau et de dioxyde de carbone en solution, le sang poursuit son chemin.

Ce processus de désoxydation et de mise en solution d'eau et de dioxyde de carbone au niveau cellulaire s'appelle échange gazeux dans les tissus ou respiration interne.

Les parties de l'organisme à forte demande énergétique requièrent un apport sanguin plus important. Ainsi le cerveau et les muscles sont-ils largement irrigués par un réseau très dense de capillaires.

Respiration et exercice

Sur le plan des échanges gazeux, on distingue deux formes de respirations: aérobie (avec oxygène) et anaérobie (sans oxygène).

- La respiration aérobie produit l'énergie cellulaire à partir de l'oxygène apporté par le sang. Les exercices tels la natation, le cyclisme, la course à pied améliorent l'efficacité des poumons.

- La respiration anaérobie se produit à l'occasion d'exercices violents, comme un sprint lorsque l'organisme brûle beaucoup d'oxygène et ne peut le remplacer assez rapidement. Les muscles doivent fonctionner sans oxygène. La respiration anaérobie produit des déchets sous forme d'acide lactique que seul l'oxygène peut dissocier.

▽ Les capillaires transportent le sang riche en oxyhémoglobine des poumons à tout le corps et en extrait le dioxyde de carbone. Les régions qui requièrent beaucoup d'oxygène, comme les muscles et le cerveau, sont pourvues d'un grand nombre de capillaires.

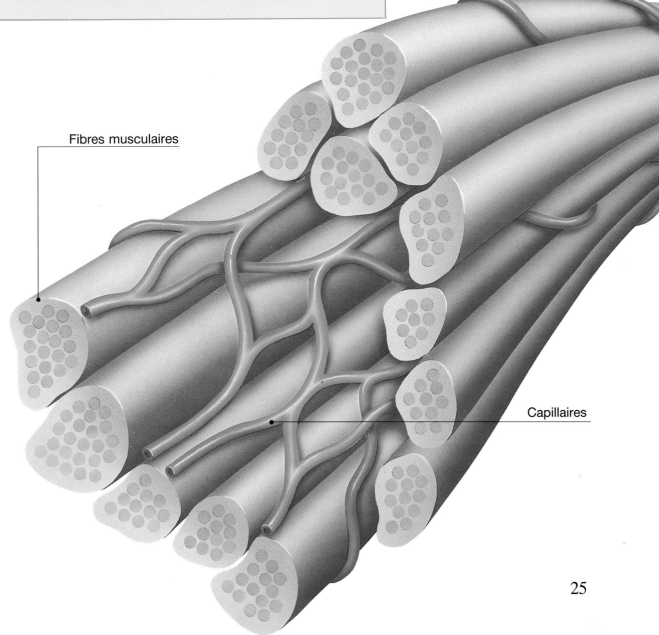

Fibres musculaires

Capillaires

Curage des voies aérifères

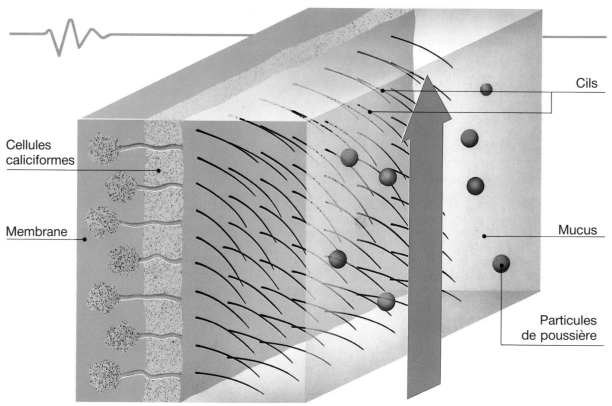

Cellules caliciformes

Membrane

Cils

Mucus

Particules de poussière

△ On voit ici les cils vibratiles sur le point de s'incliner dans la direction de la flèche. Cette action expulse des poumons le mucus chargé d'impuretés. Ces cils sont très délicats, les dépôts de goudron charrié par la fumée de tabac les paralysent, ce qui entrave le processus de curage et peut provoquer des maladies.

L'air le plus pur contient des particules d'impuretés qui se déposent sur les muqueuses de la trachée, des bronches et des bronchioles. Des mécanismes spécifiques sont chargés de nettoyer les poumons de la majeure partie de ces particules indésirables.

Les muqueuses qui tapissent la trachée, les bronches et les bronchioles sont couvertes de cils vibratiles. Ces cils se balancent au même rythme d'avant en arrière et leur mouvement ressemble aux ondulations d'un champ de blé dans le vent. Les cils, en ramant dans le mucus, y créent un courant qui le porte vers la trachée avec la plupart des particules qui l'imprègnent. Les impuretés prisonnières du mucus progressent vers la sortie des poumons à la vitesse d'1 cm/minute. Lorsqu'elles atteignent la gorge, elles

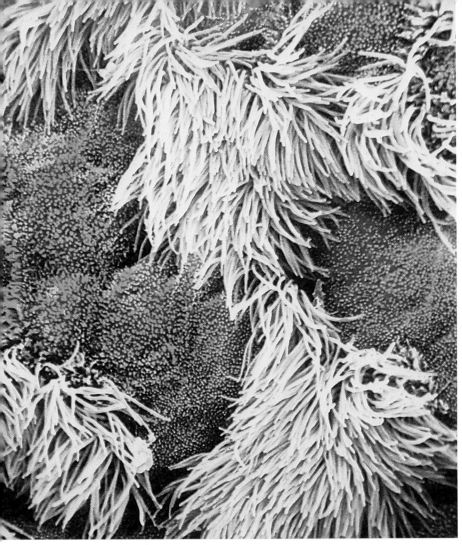

◁ Cette micrographie montre les cils vibratiles dans la trachée (en jaune). Les cils sont entre-mêlés de cellules caliciformes qui sécrètent le mucus.

L'air pollué contient:

- **du monoxyde de carbone** résidu de combustions (gaz d'échappement, fumée de cigarette, etc.);
- **de l'anhydride sulfureux** produit par la combustion de charbon et de pétrole;
- **des oxydes d'azote** provenant de centrales et de l'échappement des véhicules;
- **des particules inorganiques,** libérées au cours de processus industriels;
- **des poussières organiques,** surtout du pollen;
- **des bactéries,** répandues par les systèmes de conditionnement d'air.

La pollution peut provoquer des maladies graves:

- **bronchite** sous l'influence de la fumée de tabac et des émanations chimiques industrielles;
- **cancer du poumon** causé par la fumée de tabac;
- **silicose:** maladie pulmonaire provoquée par l'inhalation de poussières de silice;
- **asbestose** provoquée par l'action de poussières d'asbeste sur les poumons;
- **maladie du légionnaire** causée par des bactéries (conditionnement d'air et distribution d'eau);
- **poumon de fermier:** allergie due à un micro-organisme que l'on trouve dans le foin moisi et la poussière de foin.

sont avalées et assimilées impunément.

La fumée de tabac paralyse les cils vibratiles, ce qui permet au goudron de s'accumuler dans les poumons et d'y provoquer des dégâts, en demeurant en contact avec les cellules vivantes au lieu d'être éva-cué comme les autres impuretés. Si quelqu'un cesse complètement de fumer cependant, les cils se remet-tent à fonctionner et les poumons se débarrassent progressivement du goudron et d'autres substances.

Les alvéoles ne sont pas pourvues de cils, mais d'un mécanisme de protection différent. Les impure-tés qui les atteignent sont enveloppées par des cellu-les à haute activité phagocytaire appelées **macropha-ges** qui ingèrent et détruisent microbes et impuretés, évitant ainsi les infections.

Éternuements et toux

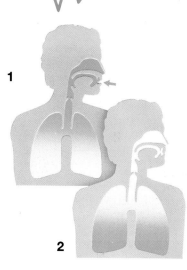

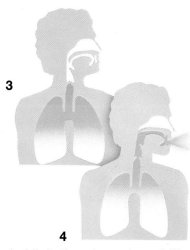

△ L'irritation des voies aérifè-res provoque la toux.
1 Inspiration profonde.
2 Fermeture des cordes vocales pour obturer les voies aérifères.
3 Contraction des muscles intercostaux et du diaphragme comprimant l'air dans les poumons.
4 Relâchement des cordes vocales et expulsion violente d'air par la bouche.

Le **système respiratoire** remédie de lui-même de façon patente à certains inconvénients accidentels tels qu'une obstruction ou une irritation. Toute tentative d'ingestions d'aliments ou d'autres produits dans les voies aérifères provoque l'explosion d'une toux quasi incontrôlable.

Dans la toux, le diaphragme et les muscles intercostaux se contractent violemment. Les cordes vocales se ferment un instant pendant que la pression de l'air augmente puis libèrent brusquement l'air emprisonné. Celui-ci sort de la trachée à environ 150 m/seconde et peut expulser le corps étranger.

Dans l'éternuement, une expulsion analogue se produit mais le voile du palais bloque l'arrière de la cavité nasale. Dès que le voile du palais se relaxe, l'air s'échappe par le nez à environ 150 km/heure, parfois porteur de près de 100 000 gouttelettes de mucus et de microbes.

Le hoquet est une contraction spasmodique du diaphragme suivie de la fermeture de la glotte produisant un son inspiratoire aigu, le «hic» bien connu. Le stimulus est habituellement une irritation des terminaisons nerveuses sensorielles du tube digestif.

Le rire et les pleurs procèdent des mêmes mouvements de base: inspiration, suivie de plusieurs brèves expirations convulsives, durant laquelle la glotte reste ouverte et les cordes vocales vibrent. Le bâillement consiste en une profonde inspiration, la bouche ouverte.

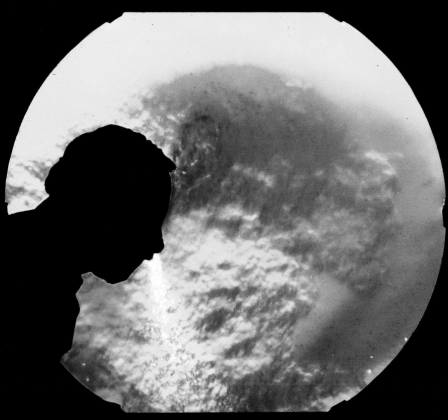

◁ Ce montage photographique permet d'observer un éternuement. Celui qui éternue ici envoie dans l'air environnant et vers ses voisins un jet de millions de gouttelettes de mucus et de microbes.

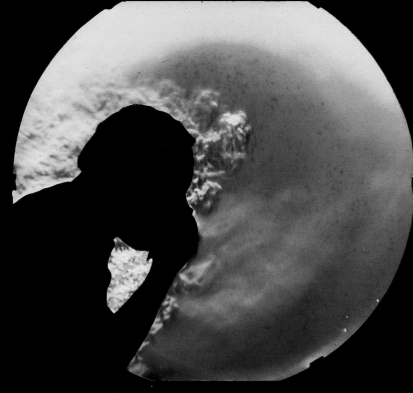

▷ Ici le sujet éternue dans un mouchoir. Il emprisonne ainsi une forte proportion de gouttelettes et évite de répandre des maladies telles que le rhume et la grippe.

Le fumeur et sa santé

Les fumeurs nuisent à leur propre santé, mais ils exposent les autres aux méfaits de la fumée de cigarette.

- Aspirer involontairement de la fumée ou «fumer passivement» peut provoquer des maladies, y compris le cancer du poumon chez des non-fumeurs sains.
- Les enfants de parents fumeurs courent des risques plus grands de problèmes respiratoires et d'affections pulmonaires.
- La femme enceinte qui fume a beaucoup plus de chances de donner le jour à un enfant prématuré ou malingre.

Fumer du tabac peut provoquer un phénomène de dépendance. Les gens commencent à fumer pour des raisons variées allant de la simple curiosité au désir de paraître adulte. La **nicotine** est un **alcaloïde** et le principal agent responsable de l'action pharmacologique et **psychotrope** du tabac. La fumée de cigarette renferme du **monoxyde de carbone**, du goudron et d'autres composés chimiques délétères ainsi que de la nicotine, tous nuisibles à l'organisme. Les poumons sont particulièrement vulnérables. Ils peuvent être affectés par le cancer et d'autres maladies dont la **bronchite** et l'**emphysème pulmonaire.**.

Fumer affecte le cœur dont il accélère le rythme. Le monoxyde de carbone prend la place de l'oxygène dans le sang dont le débit doit être accru pour oxygéner les cellules. Fumer affecte aussi les intestins, la vessie, l'estomac et l'appareil reproducteur.

La bouche et la gorge peuvent être le siège de cancers, les dents sont déparées par le jaunissement. Les maux de tête sont courants chez les fumeurs et le rétrécissement de vaisseaux sanguins peut être à l'origine d'hémorragies cérébrales.

La femme enceinte peut en fumant nuire au fœtus. Avant sa naissance, celui-ci est alimenté en oxygène par le sang de sa mère. En continuant à fumer, celle-ci charge son sang de poisons infiniment plus dangereux pour le futur nouveau-né que pour elle-même. Le nouveau-né peut être prématuré, ou même mort-né.

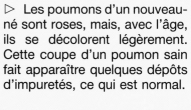

▷ Les poumons d'un nouveau-né sont roses, mais, avec l'âge, ils se décolorent légèrement. Cette coupe d'un poumon sain fait apparaître quelques dépôts d'impuretés, ce qui est normal.

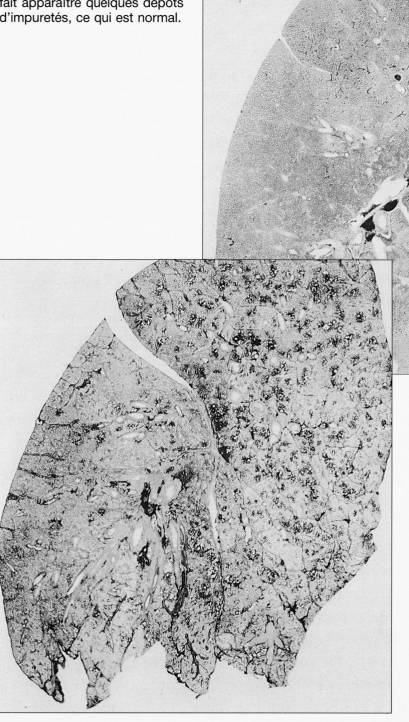

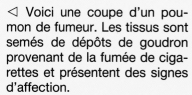

◁ Voici une coupe d'un poumon de fumeur. Les tissus sont semés de dépôts de goudron provenant de la fumée de cigarettes et présentent des signes d'affection.

31

Cesser de fumer

Depuis les années soixante, le nombre de fumeurs a diminué. Aujourd'hui, alors que leur nombre continue à décroître, le nombre de femmes qui contractent cette habitude augmente.

Jamais les pressions exercées sur les fumeurs pour les pousser à l'abandon ou les décourager de fumer en présence des autres n'ont été aussi nombreuses. Il est interdit de fumer dans beaucoup de trains, autobus, cinémas, théâtres, hôpitaux, magasins et restaurants. La publicité en faveur du tabac est contrôlée et fait place à des campagnes anti-tabac.

Il y a plusieurs bonnes méthodes d'essai de sevrage. Le plus simple est de s'arrêter et s'engager à ne plus recommencer. Pendant quelque temps, l'ex-fumeur souffrira des effets du sevrage, d'un désir obsédant de nicotine, mais ces manifestations ne seront que passagères. Une autre formule consiste à réduire sa ration quotidienne et à choisir une marque à taux de goudron plus bas. Ce procédé ne supprime pas les risques pour la santé. Il devrait être suivi de peu par un arrêt complet. On peut aussi fumer sans arrêt une cigarette sur l'autre jusqu'à se sentir mal et en avoir la nausée que l'odeur de fumée de tabac ressuscitera ensuite au lieu d'éveiller le désir.

D'autres méthodes font appel à une des thérapies de groupe où fumeurs et ex-fumeurs se joignent pour s'entraider sur la voie de l'abstinence, ou encore à l'emploi de chewing-gums nicotinisés, sur prescription médicale, pour se libérer de l'asservissement.

Les campagnes anti-tabac s'adressent maintenant aux jeunes pour réduire le nombre de ceux qui contracteront une habitude susceptible de les tuer.

NE DITES JAMAIS OUI À UNE CIGARETTE !

33

Problèmes respiratoires

△ Les parois des bronchioles sont pourvues de muscles lisses. Dans l'asthme, ces muscles se contractent, rétrécissent les voies aérifères, ce qui rend la respiration difficile.

Le système respiratoire, en contact direct avec les germes transportés par l'air, est particulièrement sujet à des infections bactériennes et virales.

Les virus du rhume banal et de la grippe pénètrent dans le corps par le nez et les poumons ; ils en sortent par les mêmes voies pour répandre l'infection. La tuberculose pulmonaire est une infection provoquée par une bactérie. Cette maladie est moins courante qu'auparavant dans les pays disposant de soins de santé adéquats.

La bronchite est une inflammation de la muqueuse des bronches causée par un microbe, de la fumée de tabac ou d'autres agents irritants. Les bronches sont obstruées par du mucus, ce qui rend la respiration difficile. L'emphysème pulmonaire est une dilatation anormale et permanente des alvéoles pulmonaires qui se manifeste par une réduction de volume expiratoire forcé et un essoufflement rapide.

L'**asthme** est une réaction d'origine **allergique** – à la poussière et au pollen – caractérisée par une respiration sifflante et difficile. Les crises sont provoquées par des spasmes de muscles lisses qui se trouvent dans les parois des bronchioles et qui obstruent partiellement celles-ci. Le rhume des foins est un coryza spasmodique qui revient à l'époque de la floraison des graminées. Il est caractérisé par des démangeaisons dans le nez, l'écoulement de sérosité liquide, des éternuements violents et répétés, des picotements dans les yeux et des larmoiements.

△ L'asthme infantile disparaît
souvent au cours de la puberté.
Parfois cependant, cet état persiste toute la vie. Un soulage-
ment est obtenu lors des crises
par inhalation d'un produit qui
relaxe les muscles entourant les
bronchioles.

Le rhume des foins

Le rhume des foins est causé
par une réaction allergique au
pollen des arbres au printemps
et des graminées en été. Il
affecte de nombreuses per-
sonnes. Rien qu'en Grande-
Bretagne, on estime à environ
8 millions le nombre de ses
victimes. Les symptômes du
rhume des foins ont le plus
de chances d'apparaître
durant la puberté ou peu
après. Ceux qui en souffrent
en sont souvent débarrassés
après une dizaine d'années.
Irritation et démangeaisons du
nez, crises d'éternuements,
picotement des yeux et lar-
moiement caractérisent cette
affection.

La gorge et la voix

Tout l'air qui pénètre dans les poumons doit passer par le **larynx**. Constitué d'un solide cartilage, celui-ci est situé au-dessus de la trachée. Sa partie supérieure, appelée pomme d'Adam, est proéminente et parfaitement visible chez certains.

Le larynx a comme fonction importante de produire des sons. Il est à la base des phénomènes vocaux. Il a la forme d'une boîte cylindrique dont le centre creux, tapissé d'une muqueuse, est muni de replis transversaux, les cordes vocales, séparés par une petite ouverture triangulaire. Plusieurs muscles contrôlent la tension des cordes vocales. Lorsqu'ils se contractent, les cordes se rapprochent et rétrécissent ou ferment l'ouverture.

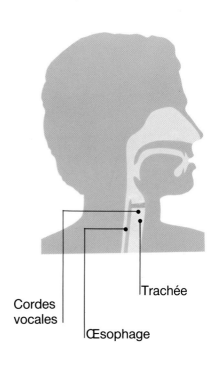

Cordes vocales

Œsophage

Trachée

△ Les cordes vocales sont situées dans le cartilage thyroïde ou «pomme d'Adam», au-dessus du cartilage cricoïde et de la trachée.

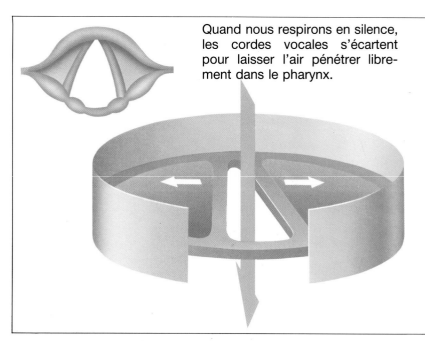

Quand nous respirons en silence, les cordes vocales s'écartent pour laisser l'air pénétrer librement dans le pharynx.

36

Tout l'air que nous respirons passe entre les cordes vocales. Quand celles-ci se rapprochent et ne sont plus séparées que par une fente, elles vibrent et produisent des ondes sonores dans la colonne d'air circulant dans le **pharynx**, le nez et la bouche, exactement comme l'anche d'une clarinette.

Nous utilisons souvent nos cordes vocales sans y penser. Nous les ouvrons pour permettre à l'air de pénétrer librement dans les poumons au cours d'une respiration normale. Quand nous voulons crier ou chanter, nous combinons l'action des cordes vocales, des poumons, de la bouche et de la langue pour produire le son voulu. Plus les cordes sont tendues, plus le son est aigu. L'intensité du son dépend du débit d'air qui circule entre elles.

Le son laryngé modifié par des résonances dans la bouche, les fosses nasales, les sinus de la face et la poitrine a son timbre caractéristique. Un blocage des sinus ou un rhume peut altérer ce timbre.

Maux de gorge

La plupart des maux de gorge sont dus à des virus ou des bactéries. Ils disparaissent habituellement au bout de quelques jours.

- **L'angine** est une inflammation de l'isthme du gosier et du pharynx. Elle est souvent compliquée d'amygdalite ou inflammation des amygdales. Elle peut être traitée par des antibiotiques. Si elle persiste, l'ablation des amygdales peut être nécessaire.

- La **laryngite** est une inflammation du larynx qui peut conduire à l'enrouement ou à l'aphonie. Le repos de la voix est indiqué.

- La **pharyngite** est une inflammation du pharynx.

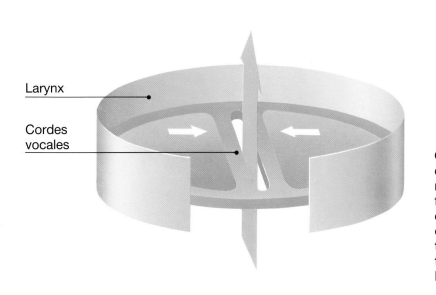

Larynx

Cordes vocales

Quand nous voulons parler, les cordes vocales se rapprochent, ne laissant entre elles qu'une fente. L'air, forcé de passer par cette fente, fait vibrer les cordes, ce qui produit un son. Les types de sons que nous émettons dépendent de la forme de la bouche et des lèvres.

La voix humaine

Le son est produit par la vibration des cordes vocales sous l'effet d'un flux d'air. Mais pour former des mots reconnaissables et des phrases intelligibles, les sons doivent être modulés, liés et séparés. D'autres structures que les cordes vocales doivent donc transformer le son en parole. Ceci requiert, outre le pharynx, l'action complexe de nombreux muscles agissant sur les mâchoires, la langue, les joues, le voile du palais. Les dents et le **palais dur** jouent aussi un rôle important dans l'articulation et la phonation.

En contractant et en relâchant les muscles situés dans la paroi du pharynx,nous produisons les voyelles.

Pour produire chaque groupe de sons, différentes actions combinées sont requises.

▽ Pour produire le son «mmm», les lèvres sont fermées et l'air passe par le nez. L'émission du son «ahh» requiert l'ouverture de la bouche et le libre passage de l'air.

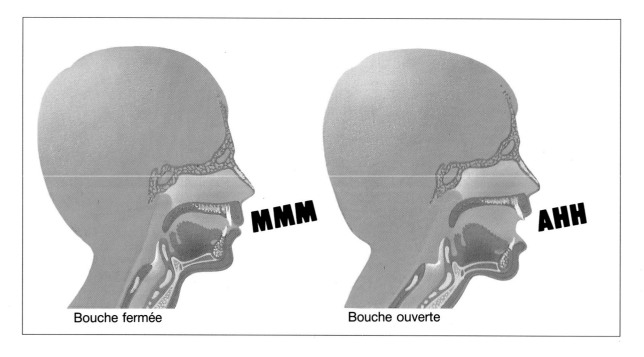

Bouche fermée   Bouche ouverte

Le «p» du mot «stop» par exemple ne peut être prononcé que si les lèvres, en se fermant, bloquent brusquement le flux d'air. Pour les «d» et les «t», le flux d'air est arrêté par l'action de la langue contre le palais et les dents, pour les «g» et les «k» contre le voile du palais. Les consonnes fricatives sont – comme «s» et «z» – par exemple, celles dont l'articulation comporte un simple resserrement du canal vocal tel que le mouvement d'expiration détermine un bruit de frottement ou de sifflement. Dans des sons tels que «m» ou «n», l'air est dirigé à travers les fosses nasales et la bouche est fermée.

Certains sons sont propres à certaines langues ou certains dialectes, le «th» en anglais, le «ch» guttural en allemand, les «r» roulés ou grasseyés.

△ La voix humaine peut être très faible ou très forte. Lorsqu'une foule de gens se mettent à crier, le son produit devient très puissant.

39

La déglutition

L'entrée du larynx se trouve derrière la langue et devant l'œsophage. Pour empêcher les aliments de pénétrer dans le larynx, puis d'obstruer la trachée et de provoquer l'étouffement, il faut un mécanisme spécial.

Le bol alimentaire est d'abord positionné dans la bouche par la langue, puis la déglutition s'amorce : le bol est poussé vers l'arrière de la cavité buccale puis dans **l'oropharynx** par les mouvements de la langue vers le haut et vers l'arrière contre le palais. Ensuite les voies respiratoires se ferment et la respiration est momentanément interrompue. C'est l'étape volontaire de la déglutition.

▷ Quand nous avalons, le larynx empêche automatiquement les aliments d'emprunter les voies aérifères menant aux poumons.

40

Commence alors l'étape pharyngienne involontaire. Des influx nerveux émis par le centre de la déglutition provoquent l'élévation du voile du palais et de la luette pour fermer le **rhinopharynx** et obturer les voies aérifères du nez. Le larynx est tiré vers le haut et vers l'avant sous la langue ; en remontant, il se joint à l'**épiglotte** pour fermer la glotte et obturer le larynx. On voit cette élévation du larynx au mouvement de la pomme d'Adam qui remonte quand on avale.

Le mouvement du larynx a aussi pour effet de rapprocher les cordes vocales pour sceller réellement les voies respiratoires et élargir l'ouverture entre le **laryngopharynx** et l'œsophage.

Le bol alimentaire traverse le laryngopharynx et atteint l'œsophage en 1 ou 2 secondes. Les voies respiratoires s'ouvrent de nouveau et la respiration reprend. Les aliments cheminent vers l'estomac, poussés par des contractions musculaires appelées **péristaltisme**. En cas de déglutition à la hâte, les aliments peuvent pénétrer dans le larynx et provoquer l'étouffement. Mais habituellement, la toux peut les en déloger. Quand on avale un morceau trop gros, on peut avoir l'impression d'étouffer car une dilatation locale de l'œsophage peut comprimer la trachée et interférer avec le flux d'air vers les poumons.

Pendant la déglutition, le voile du palais obture la cavité nasale.

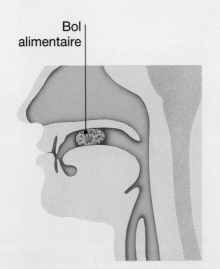

Bol alimentaire

1 Les aliments sont mâchés dans la bouche, rassemblés en boule, appelée bol alimentaire facile à avaler.

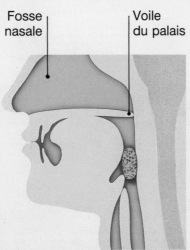

Fosse nasale — Voile du palais

2 La langue positionne le bol alimentaire et, quand celui-ci quitte la bouche, le voile du palais obture la cavité nasale.

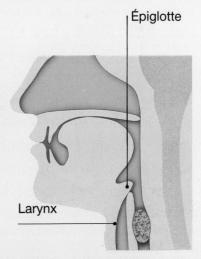

Épiglotte

Larynx

3 Quand le bol alimentaire pénètre dans l'oropharynx, le larynx s'élève, se joint à l'épiglotte et ferme la glotte pour prévenir la suffocation.

L'homme en milieu aquatique

La natation doit souvent s'apprendre, mais le corps humain est étonnamment bien adapté au milieu aquatique. L'homme peut retenir sa respiration assez longtemps pour nager sous l'eau pendant près d'une minute. Avec de la pratique, l'air peut être maintenu dans le nez, en obturant simplement les voies aérifères nasales avec le voile du palais. La pression de l'air contenu dans les fosses nasales prévient alors l'entrée d'eau.

L'organisme humain est également pourvu d'un mécanisme inhabituel, atavisme peut-être d'ancêtres aquatiques. Quand le visage est plongé dans de l'eau froide, l'organisme distrait le sang de la peau et des muscles et le fait affluer aux organes internes. La quantité d'oxygène utilisé est ainsi réduite ; l'échange thermique avec l'eau l'est aussi. On trouve des mécanismes similaires chez les canards, les baleines, etc.

Quand nous plongeons profondément, l'eau exerce sur le corps une forte pression. Un plongeur en eau profonde respire de l'air comprimé à la même pression que celle de l'eau environnante, de façon à éviter l'écrasement du thorax malgré les forces énormes causées par la pression hydrostatique.

À ces hautes pressions, en plus de l'oxygène, l'azote de l'air est absorbé dans les poumons et se dissout dans le sang. Si le plongeur fait surface trop rapidement après une plongée longue et profonde, l'azote peut former des bulles dans le sang et provoquer un accident de décompression douloureux et grave appelé le «mal des caissons».

▷ Ce plongeur porte un équipement respiratoire qui lui permet de rester sous l'eau pendant de longues périodes. Les plongeurs qui effectuent des plongées profondes doivent minuter soigneusement leur plongée et savoir à quelle profondeur ils nagent. S'ils veulent éviter le mal des caissons, ils doivent remonter lentement, par étapes, vers la surface. C'est la raison pour laquelle des mélanges gazeux particuliers sont parfois utilisés pour des plongées profondes.

La respiration en altitude

Plus on s'élève au-dessus du niveau de la mer, plus la densité de l'air est faible et moins il y a d'oxygène dans un volume donné. Pour obtenir assez d'oxygène, les alpinistes halètent davantage au fur et à mesure de leur ascension. Le sommet du mont Everest, qui atteint près de 9 000 m, correspond approximativement à l'altitude maximale à laquelle l'homme peut survivre aussi longtemps qu'il le veut sans apport d'un supplément d'oxygène. Même dans ces conditions, les alpinistes sont porteurs d'un équipement respiratoire pour éviter le mal d'altitude.

L'altitude de croisière des avions de ligne est de 10 000 m ou plus. La vie y serait impossible sans apport artificiel d'oxygène. Les avions de ligne modernes sont pressurisés de telle sorte que la pression régnant dans le compartiment des passagers équivaut à celle d'une altitude de 2 000 m, ce qui est à peine perceptible.

Dans certaines régions d'Afrique, d'Asie et d'Amérique du Sud, beaucoup de gens vivent en permanence à haute altitude. Dans les Andes, certains vivent jusqu'à 5 000 m. Nous trouverions cette vie très inconfortable, mais l'organisme des aborigènes de ces régions s'est adapté et leur état de santé n'en est pas altéré. Leurs thorax se sont agrandis pour offrir une capacité pulmonaire plus importante ; leur sang renferme une proportion de globules rouges beaucoup plus élevée que le nôtre et peut donc se charger de plus d'oxygène.

▷ Les alpinistes utilisent des masques à oxygène pour prévenir le mal d'altitude. On voit ici Chris Bonington utilisant un appareil respiratoire au sommet du mont Everest.

Le mal d'altitude

Le mal d'altitude se produit quand le taux d'oxygène sanguin baisse à cause de la diminution de la pression atmosphérique à haute altitude. La plupart des gens en souffrent à partir de 4 000 m environ.

Symptômes :
- Toux spasmodique
- Céphalées et faiblesse
- Respiration irrégulière
- Anorexie
- Perte de la coordination
- Nausées
- Insomnies
- Tuméfaction des doigts ou du visage

Remèdes :
On peut soulager le mal en descendant à une altitude inférieure, mais cette affection peut être létale. Même des athlètes sont morts du mal d'altitude à des endroits tels que l'Himalaya.

Glossaire

Alcaloïde: substance organique basique d'origine végétale contenant au moins un atome d'azote dans la molécule. Les alcaloïdes ont une puissante action physiologique, toxique ou thérapeutique.

Allergie: modification des réactions d'un organisme à un agent pathogène, lorsque cet organisme a été l'objet d'une atteinte antérieure par le même agent.

Alvéoles pulmonaires: culs-de-sac terminaux des subdivisions bronchiques.

Anhydride carbonique (CO_2) ou gaz carbonique ou bioxyde de carbone ou dioxyde de carbone. Gaz incolore et déchet de la combustion de l'oxygène dans l'organisme. Se dissout dans le sang et en est extrait par les poumons.

Aorte: artère qui prend naissance à la base du ventricule gauche du cœur, tronc d'origine de tout le système artériel.

Asthme: difficulté à respirer, notamment à expulser l'air, accompagnée d'un bruit sifflant particulier.

Bronche: (souche) chacun des deux conduits cartilagineux qui naissent par bifurcation de la trachée, pénètrent dans les poumons et s'y ramifient en formant l'arbre bronchique.

Bronchiole: ramification terminale des bronches.

Bronchite: inflammation de la muqueuse des bronches.

Bulbe rachidien: segment inférieur de l'encéphale qui fait suite à la moelle épinière, se continuant par la protubérance annulaire. Est le point d'origine de nombreux nerfs crâniens, sensitifs et moteurs.

Capillaires: vaisseaux sanguins les plus élémentaires, dernières ramifications du système respiratoire qui relient artérioles et veinules. Jouent un rôle important dans les échanges gazeux d'oxygène et de gaz carbonique dans les poumons.

Cartilage: variété de tissu conjonctif, translucide, résistant mais élastique, ne contenant ni vaisseaux, ni nerfs, recouvrant les surfaces osseuses des articulations et constituant la charpente de certains organes (aile du nez, trachée, bronches, larynx, épiglotte).

Cellule: unité fondamentale, morphologique et fonctionnelle de tout organisme vivant, qui comporte généralement une membrane périphérique limitant le cytoplasme au sein duquel se trouve le noyau.

Cils (vibratiles): prolongements cytoplasmiques des cellules épithéliales de certaines muqueuses dont celles des bronches.

Cornets (du nez): lames osseuses contournées des fosses nasales.

Emphysème (- pulmonaire): dilatation anormale et permanente des alvéoles pulmonaires pouvant entraîner la rupture de leurs parois et l'infiltration gazeuse du tissu cellulaire; réduit la capacité des poumons à absorber l'oxygène.

Épiglotte: lame cartilagineuse en forme de triangle qui fait saillie dans la glotte et ferme le larynx au moment de la déglutition.

Hémoglobine: substance protéique contenue dans les globules rouges du sang et qui renferme du fer. L'hémoglobine est un pigment respiratoire qui joue un rôle essentiel dans le transport de l'oxygène.

Laryngopharynx: portion inférieure du pharynx s'étendant vers le bas à partir du niveau de l'os hypoïde pour se diviser postérieurement dans l'œsophage et antérieurement dans le larynx.

Larynx: conduit médian impair situé entre le laryngopharynx et la trachée, qui par le jeu des cordes vocales constitue l'organe essentiel de la phonation.

Ligament: faisceau de tissus fibreux, très résistant et peu extensible, unissant deux os, deux cartilages ou servant à maintenir en place d'autres parties ou organes.

Luette : saillie médiane charnue, allongée du bord postérieur du voile du palais qui contribue à la fermeture de la partie nasale du pharynx, lors de la déglutition.

Macrophage : grosse cellule dérivant du monocyte du sang, douée du pouvoir d'englober et de détruire par phagocytose des particules étrangères, des déchets cellulaires et des micro-organismes.

Monoxyde de carbone (CO) : gaz délétère incolore, composé de carbone et d'oxygène que l'on trouve par exemple dans la fumée de cigarette et les gaz d'échappement d'un véhicule.

Mucus : liquide transparent d'aspect filant produit par les glandes muqueuses et servant d'enduit protecteur à la surface des muqueuses.

Muqueuse : membrane qui tapisse les cavités de l'organisme, qui se raccorde avec la peau au niveau des orifices naturels et qui est lubrifié par la sécrétion de mucus.

Nicotine : alcaloïde du tabac, liquide huileux, incolore, très soluble dans l'eau. La nicotine est un psychotrope.

Œsophage : partie de l'appareil digestif, canal musculo-membraneux qui va du pharynx à l'estomac.

Oropharynx : partie moyenne du pharynx située derrière la cavité buccale et s'étendant depuis le voile du palais jusqu'à l'os hyoïde.

Oxygène : gaz invisible, inodore qui constitue environ 1/5 de l'air atmosphérique.

Oxyhémoglobine : combinaison de l'hémoglobine avec l'oxygène, formée dans les poumons au contact de l'air inspiré.

Palais (dur) ou **voûte palatine :** cloison qui forme la partie supérieure de la cavité buccale et la sépare des fosses nasales.

Palais (mou) ou **voile du palais :** qui prolonge en arrière le palais dur.

Péristaltisme : ondes de contractions musculaires d'un organe tubulaire, se propageant de proche en proche et faisant avancer le contenu de l'organe.

Pharynx : conduit musculo-membraneux qui constitue un carrefour des voies digestives et respiratoires entre la bouche et l'œsophage d'une part, les fosses nasales et le larynx d'autre part ; sa partie supérieure est le rhinopharynx ; sa partie moyenne, l'oropharynx ; sa partie inférieure, le laryngopharynx.

Plasma (sanguin) : partie liquide du sang.

Plèvre : membrane séreuse située à l'intérieur de la cavité thoracique, constituée d'un feuillet pariétal qui tapisse les parois internes de la cavité thoracique et d'un feuillet viscéral appliqué sur la surface des poumons.

Psychotrope : modificateur du psychisme, du comportement.

Rhinopharynx : partie supérieure du pharynx prolongeant vers le haut et les fosses nasales l'oropharynx ; situé derrière les fosses nasales et au-dessus du voile du palais.

Sinus : 1. cavité creusée dans du tissu osseux ou autre ; 2. conduit laissant passer le sang ; 3. toute cavité dont l'ouverture est étroite.

Sinus de la face : cavité irrégulière de certains os de la face (sinus frontal, maxillaire, sphénoïdaux) communiquant avec un des méats surplombés par les cornets des fosses nasales.

Sinusite : inflammation des sinus de la face, consécutive à l'inflammation de la muqueuse nasale.

Sternum : os plat, allongé, situé au milieu de la face antérieure du thorax, s'articulant avec les sept premières paires de côtes et par son segment supérieur (manubrium) avec les deux clavicules.

Système respiratoire : ensemble des organes servant à la respiration : bouche, nez, pharynx, larynx, trachée, bronches, poumons, diaphragme et muscles intercostaux.

Trachée : portion du conduit aérifère comprise entre l'extrémité inférieure du larynx et l'origine des bronches.

Index

PRINTED IN BELGIUM BY
proost
INTERNATIONAL BOOK PRODUCTION